我们身边的病毒

小神兵大战病毒怪

薛雯兮 刘玉峰 文/图

新世界出版社
NEW WORLD PRESS

最近，一种可怕的病毒怪突然出现，
开始大肆进攻我们的家园，
人们纷纷投入与怪物大军的战斗中……

守护在小朋友身边的小神兵们，
也开始了行动……

不能出去玩

不能去找小朋友

不能出去吃美食

不能去游乐场

不能去学校

不能去游泳

大元帅，一旦病毒怪占了上风，小朋友们必然会被关在家中很长时间，不能出门，甚至还有可能会生病。

我们要帮助小朋友们！

一时间，大街小巷贴满了告示……

告 × 示

放假了，小朋友们还没来得及尽情地玩耍，一种名为"新型冠状病毒"的怪物大军就在到处肆虐，一时间狼烟四起，所到之处人人自危。小朋友更是被困家中。小神兵大元帅已召集四方神兵大军，誓与病毒怪血战到底。请所有小朋友积极做好防护，与小神兵一同打败病毒怪！

小神兵大元帅

与此同时，四路大军接到命令，立即开始行动。

东路大军为医疗先锋军，参与对染病者的救治。

西路大军为建设先锋军，参与医疗基地的建设。

南路大军为保卫先锋军，参与保卫物资的防盗工作。

北路大军为运输先锋军，参与物资材料的运输工作。

很快，四路大军集结完毕，
大元帅详细地介绍了病毒怪的情况……

这次来袭的是"新型冠状病毒"，是冠状病毒大家族中的一员，
他们的体表有着像皇冠一样的突起。

他们会通过人的口腔飞沫传播，
所以，戴口罩是非常重要的。
所有将士都必须戴上口罩！

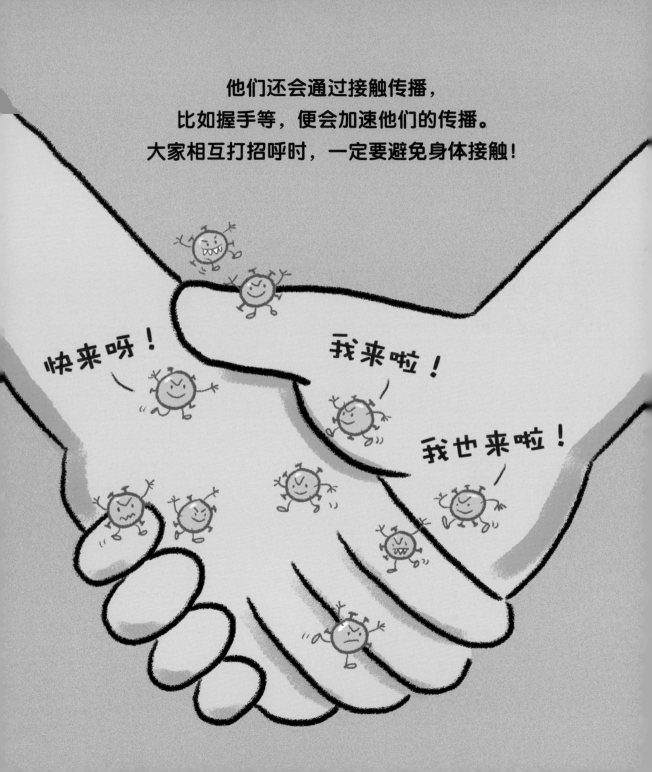

通过人与物体接触也会传播，这些地方尤其要注意。
所以，勤洗手非常重要！

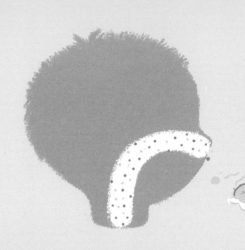

如果不戴口罩，
就容易吸入带有病毒的飞沫。

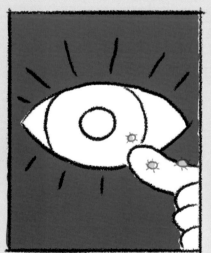

如果没有勤洗手，
用沾了病毒的手揉眼睛、挖鼻孔、摸嘴巴，
病毒就会进入你的身体。

他们非常狡猾，进入人体后不会马上让人发病，
而是会悄悄潜伏好多天。
期间，这个被感染的人就会不断地把病毒传染给其他人。
慢慢地，这个人开始出现胸闷、发烧、咳嗽等症状，
严重的甚至导致死亡！

虽然他们既危险又狡猾，但也不是没有办法对付，比如……

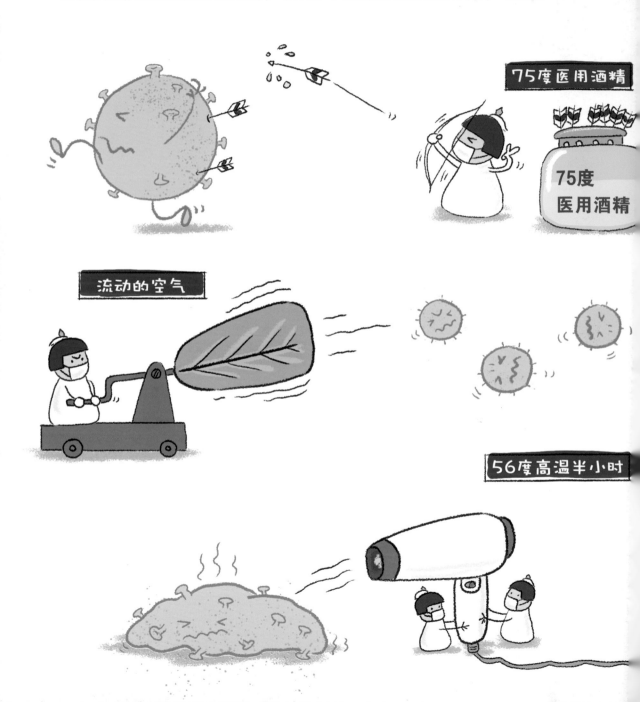

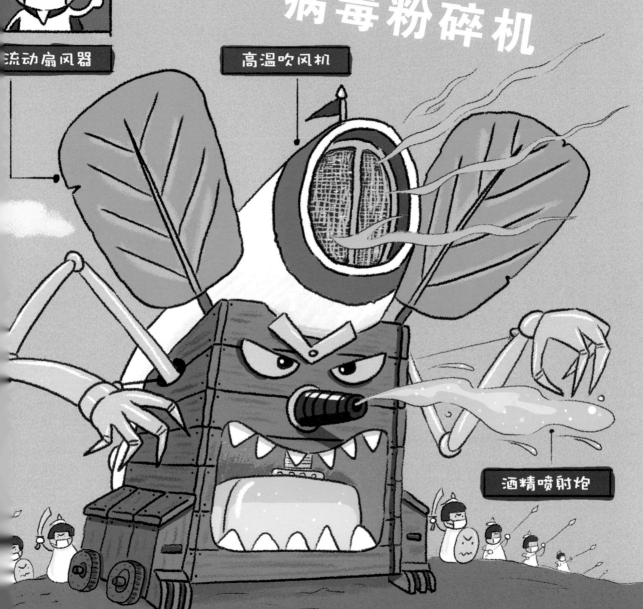

等等！万事俱备，还差军师给我的锦囊妙计……

出兵前 必看 ㊙️

此次出兵，需要小朋友帮助：

在家尽量别出门，

出门一定戴口罩，

勤洗手，勤洗澡，

早睡早起身体好，

适量运动多阅读，

共同消灭病毒怪！

小神兵军师

小朋友们，等着我们胜利凯旋吧！